FELIX MENDELSSOHN
1809 – 1847

6 Lieder ohne Worte

6 Songs Without Words · 6 Chansons sans paroles

für Klavier
for Piano
pour Piano

opus 67

Herausgegeben von / Edited by / Edité par
André Terebesi

ED 09903
ISMN 979-0-001-17642-2

SCHOTT

Mainz · London · Berlin · Madrid · New York · Paris · Prague · Tokyo · Toronto

Fräulein Sophie Rosen zugeeignet

Sechs Lieder ohne Worte

Felix Mendelssohn
1809–1847
opus 67/1

8

Allegro leggiero

Felix Mendelssohn
op. 67/2

2

10

12

Felix Mendelssohn
op. 67/3

Andante tranquillo

09903

14

op. 67/4

Presto

© 2013 Schott Music GmbH & Co. KG, Mainz   09903

16

Aus wendetechnischen Gründen bleibt diese Seite frei.
This page is left blank to save an unnecessary page turn.
On laisse une page blanche pour faciliter la tourne.

Felix Mendelssohn
op. 67/5

Felix Mendelssohn
op. 67/6

09903

Musik für Klavier
Music for piano
Musique pour piano

Carl Philipp Emanuel Bach
Solfeggietto c-Moll
ED 07996

Johann Christian Bach
Sonate G-Dur, op. 5/3
ED 09663

Johann Sebastian Bach
Berühmte Stücke
(Sinfonia, Air, Badinerie)
ED 09739

2 Choräle
(Wachet auf, ruft uns die Stimme /
Jesus bleibet meine Freude)
ED 09736

15 zweistimmige Inventionen
ED 01092

15 dreistimmige Sinfonien
ED 01096

12 kleine Präludien
ED 0849

Ludwig van Beethoven
Sieben Bagatellen, op. 33
ED 0267

6 Contretänze
ED 09622

Für Elise (Albumblatt)
ED 06641

Menuett G-Dur
07536

Sonaten:
– c-Moll (Pathétique), op. 13
ED 0218
– cis-Moll (Mondschein), op. 27/2
ED 0229
– D-Dur (Pastorale), op. 28
ED 0231
– (Sonatine) g-Moll, op. 49/1
ED 0239
– (Sonatine) G-Dur, op. 49/2
ED 0240
– C-Dur (Waldstein), op. 53
ED 0241
– f-Moll (Appassionata), op. 57
ED 0245
– 2 leichte Sonatinen F-Dur, G-Dur
ED 0281

9 Variationen A-Dur über
„Quant è più bello"
ED 09689

Johannes Brahms
Ungarischer Tanz Nr. 5
ED 07585
– erleichtert
ED 07589

Ungarischer Tanz Nr. 6
ED 07586
– erleichtert
ED 07590

Variationen
über ein Thema von R. Schumann
ED 09735

Wiegenlied, op. 49/4
ED 07635

Frédéric Chopin
Ballade g-Moll, op. 23
ED 06209

Ballade As-Dur, op. 47/3
ED 06211

Etüde c-Moll (Revolutions-Etüde),
op. 10/12
ED 09574

Fantasie-Impromptu cis-Moll, op. 66
ED 0368

Nocturne b-Moll, op. 9/1
ED 0342

Polonaise A-Dur (Militär), op. 40/1
ED 0334

Prélude Des-Dur (Regentropfen),
op. 28/15
ED 09200

Sonate b-Moll, op. 35
ED 0398

Walzer Des-Dur (Minuten), op. 64/1
ED 0298

Louis-Claude Daquin
Le Coucou. Rondo
ED 0899

Claude Debussy
Doctor Gradus ad Parnassum
ED 09760

The little negro
ED 09762

Anton Dvořák
Humoreske, op. 101/7
ED 03692
– erleichtert
ED 03694

John Field
Nocturne B-Dur
0925

César Franck
Les plaintes d'une poupée
ED 09764
Präludium, Aria und Finale
ED 08864
Präludium, Choral und Fuge
ED 08860

Edvard Grieg
Anitra's Tanz (aus Peer-Gynt-Suite),
op. 46/3
ED 09593

Hochzeitstag auf Troldhaugen, op. 65/6
ED 09595

Norwegischer Bauerntanz, op. 19/2
ED 09596

Volksweise – Springtanz
(aus Lyrische Stücke), op. 38/2 und 5
ED 09706

Georg Friedrich Händel
Chaconne G-Dur mit 21 Variationen
ED 09578
Grobschmied-Variationen
ED 0473
Passacaglia g-Moll
und Chaconne d-Moll
ED 09763

Joseph Haydn
Sonaten:
– As-Dur (Hob. XVI:46)
ED 0502

– C-Dur (Hob. XVI:15)
(Der Geburtstag)
ED 09659
Arietta con Variazioni (Hob. XVII:2)
ED 09662
Ochsen-Menuett (Hob. IX:27)
ED 0509

Paul Hindemith
2 Fugen aus „Ludus tonalis"
ED 09770

Franz Liszt
Gnomenreigen (Konzertetüde)
ED 06455

Il Sospiro (Konzertetüde)
ED 06779

Liebestraum E-Dur Nr. 2
ED 06481

Rigoletto-Paraphrase
ED 06810

Ungarische Rhapsodie Nr. 2 cis-Moll
(mit der berühmten Kadenz von d'Albert)
ED 06414

Ungarische Rhapsodie Nr. 15 a-Moll
(Racóczy-Marsch)
ED 06433

Valse oubliée
ED 07042

Ferdinand Loh
Walzer (Flohwalzer)
ED 09765

Felix Mendelssohn Bartholdy
Rondo Capriccioso, op. 14
ED 0537

Hochzeitsmarsch aus
„Ein Sommernachtstraum", op. 61/9
ED 06707

Maurice Moszkowski
aus Dix Pièces Mignonnes:
– Menuett, op. 77/10
ED 09729
– Tarantelle, op. 77/6
ED 09722

Modest Moussorgsky
Im Dorfe – Ein Kinderscherz
ED 09705

Wolfgang Amadeus Mozart
Andante aus dem
Klavierkonzert C-Dur, KV 467
ED 09741

Fantasien:
– c-Moll, KV 396
ED 0968
– d-Moll, KV 397
ED 0969
– c-Moll, KV 475
ED 0636

Fantasie und Fuge C-Dur, KV 394
ED 0970

Romanze As-Dur, KV 205
ED 08232

Rondo D-Dur, KV 485
ED 0972

Sonaten:
– C-Dur, KV 330
ED 0609

– A-Dur, KV 331
ED 0618
– C-Dur (facile), KV 545
ED 0607
Variationen über
„Ah! vous dirai-je Maman", KV 265
ED 09197

Sergej Rachmaninoff
Prélude cis-Moll, op. 3/2
ED 01650

Valse A-Dur, op. 10/2
ED 01651

Eric Satie
Gymnopedie Nr. 1
ED 09768
Gymnopedie Nr. 3
ED 09769

Franz Schubert
Impromptus:
– c-Moll, op. 90/1
ED 0686
– Es-Dur, op. 90/2
ED 0687
– As-Dur, op. 142/2
ED 0692

Militärmarsch D-Dur, op. 51/1
ED 0704
– erleichtert
ED 08260

Wanderer-Fantasie, op. 15
ED 0684

Wiegenlied, op. 98/2
ED 07021

Robert Schumann
Arabeske, op. 18
ED 0725

Carnaval, op. 9
ED 09188

Romanze Fis-Dur, op. 28/2
ED 0773

Alexander Scriabin
Etüde cis-Moll, op. 2/1
ED 09747

Peter Tschaikowsky
Die Jahreszeiten, op. 37:
– Nr. 6, Juni (Barkarole)
ED 01706
– Nr. 12, Dezember (Weihnachten)
ED 01712

Carl Maria von Weber
Aufforderung zum Tanz, op. 65
(Des-Dur)
ED 0792
– erleichtert (C-Dur)
ED 0794

Momento capriccioso, op. 12
ED 09734

DISTRIBUTED IN NORTH AND SOUTH AMERICA
EXCLUSIVELY BY
HAL LEONARD
CORPORATION
49019850

ISMN 979-0-001-17642-2 ED 09903

9 790001 176422

8 41886 01668 2

R 48 6-04